KB103724

내 마음의 풍경

오늘도시리즈
24

내 마음의 풍경

발 행 | 2023년 12월 29일

공동저자 | 신수연.서수영.아영.미미.민트초코.꽃마리쌤

기획·디자인 | 꽃마리쌤

펴낸이 | 한건희

펴낸곳 | 주식회사 부크크

출판사등록 | 2014.07.15(제2014-16호)

주 소 | 서울 금천구 가산디지털1로 119, A동 305호

전 화 | 1670 - 8316

이메일 | info@bookk.co.kr

ISBN | 979-11-410-6270-5

www.bookk.co.kr

내 마음의 풍경

|

오늘의 작가 6인

|

신수연

서수영

아영

미미

민트초코

꽃마리쌤

작가님들의
다정한 이야기를 담았습니다.

당신의 . 이야기가 . 책이 . 됩니다

쓸수록 힘이 나고,
매일매일 행복해지는
한 줄의 기록

당신의 . 기록이 . 책이 . 됩니다

차
례

잘 자라고 있다

신
수
연

신수연

✕

두 아이들의 순간 순간.

그 모습 그대로

사랑해.

소중한 감

늦은 가을, 감따기 체험을 하러 갔다.

입장료만 내면 한 박스를 원하는 데로 채워 가지고 갈 수 있다.

감나무를 가까이 본 적이 나에겐 처음이었다.

아이들이 즐겁게 체험을 하고 올 수 있겠다고 생각한 건 나만의 상상.

그 곳에 있는 감나무들은 길가를 지나가다 본 것들에 비해 키는 작았지만,
내 아이들에겐 키가 큰 감나무였다.

둘째를 계속 안아서 따게 하기도 어려웠다. 손이 닿아도 손의 힘이 부족해
서 도움이 필요했다.

가지를 낮게 하여 닿게 하는 걸 찾기 시작했다.

남편과 첫째가 박스를 채워 가는 동안 나와 둘째는 감나무 밑을 돌아다니
며 손닿는 감 찾아 따기를 세 네 번. 감의 표면이나 모양이 예쁘지는 않았
지만 손이 닿으면 딸 수 있게 도와주었다.

담아가는 박스에 따라 담는 둘째.

남편은 예쁘지 않다고 둘째가 안 본 사이 밖으로 골라냈다.

자기가 딴 감을 어떻게 기억을 하는지.

밖에 나와 있는 그 감을 다시 박스에 담는다.

집에 와서도 자기가 땄던 감들을 골라낸다.

둘째에게 소중한 감.

꾸민 듯 안꾸민 듯 갈색빛 가을느낌 가득했던 기찻길 따라 걷기.

1년 전 동물원을 갔다가 첫째가 골라 사뒀던 미니레고 드디어 완성.
엄마 도움 없이도 만들 수 있는 때가 오긴 하는구나.

미안해, 엄마

내년이면 7세 될 첫째에게 아침저녁으로 요구를 하기 시작했다.
옷을 준비해 주며 혼자서 입으라고 하고, 세수도 스스로 하라고 말한다.
하루는 4가지를 다 하면 요구르트를 주겠다고 했다.
그 한 번은 잘했다.
그 다음 날은 딴 짓을 하며 모르는 척하며 놀기만 한다.
나는 또 한마디를 한다. 첫째는 그걸 못 들은 척한다.
어쩌면 못들었는지도 모른다. 다시 한번 큰소리로 더 말한다.
아침 저녁 반복이 된다.

한순간 눈이 마주쳤다.
"엄마는 왜 나만 미워해?"
"아... 그렇게 느껴졌구나.
이건 미워하는게 아니라 당연히 해야하는 거야."
라고 말하면서 아무렇지 않은 척 지나갔지만 순간 멈칫했다.

동생에게는 그렇게 하지 않으면서 자기에게만 하라고 해서일까.
동생이랑 티격태격할 때마다 첫째에게만 더 많은 잔소리를 했을까.
엄마의 관심이 부족하다 느껴졌을까.
어쩌면 방법이 잘못 되었을까. 너무 내가 재촉을 하였던가.
그럴 수도 있는데. 한번 말할 때 바로 하지 않는다고
또 큰소리를 냈던 나였다.
우리 귀여운 아들, 눈치도 보며 행동 조심하려는 것도 알고,
동생도 챙겨주는 것도 알고, 엄마 도와주려고 애쓰는 것도 아는데.
칭찬이 부족했나보다.

잠들기 전 문득,
"미안해, 엄마"
그런다.
"그래.. 엄마도 화내서 미안해."

잠이 든 울 아들.
너무너무 귀여운 아들.
조금은 더 기다려줄께.
재촉하지 않을께.
그저 지금의 귀여운 모습 그대로 볼게.

침대로 가기 전, 물 한 잔 하며 혼자만의 시간을 갖는 둘째.

제일 평화로운 시간.
새삼 두 아이를 키우는 엄마가 되었다는 사실을 상기시키게 되는 시간.

내가 좋아서

나는 옷을 매일 바꿔 입어야 된다고 생각하지도 않고 내 옷들의 색깔이 컬러풀하지도 않다. 그 계절마다 나에게 편하고 어울린다고 느끼는 옷 몇 개를 돌려 입는다.

아이에게도 움직임이 편한 옷으로 고른다. 물려받은 옷이든 새 옷이든 입혀보고 아이도 편안해하고, 세탁이 편하면 그것들로 입힌다.

남편은 이 옷 저 옷, 다양하게 입는 걸 좋아한다.

한 번씩 남편이 아이에게 옷을 입히는 경우, 조금은 트러블이 생긴다.

아이에겐 편하지 않고 익숙치 않은 옷들을 입으라고 해서 아이와 티격태격 소리가 난다.

겨울이 되니 더, 입는 겉옷이 몇 개 정해진다.

아이가 다른 옷은 다 싫고 곤색과 어두운 초록으로 되어 있는 점퍼만 입겠다고 한다. 거기다 털 달린 따뜻한 신발은 싫고 좋아하는 빨간색 운동화만 신는다.

아침 등원길, 문득 첫째가 묻는다.

"엄마는 왜 똑같은 옷만 입어?"

"연우는 왜 똑같은 옷만 입어?"

서로 대답이 없다.

어떤 옷을 입을지 고민하는 시간조차 허용되지 않아서,
그 날의 스케줄에 따라 신경 쓰지 않아도 되는 날 같아서,
어차피 퇴근하면 아이를 봐야 하니,
귀찮아서...

그날만의 이유들은 많지만.

결론은.
내가 좋아서.

이 순간의 느낌을 기억하길 바라며.
눈이 내리는 듯 비누방울 쏟아주었던 그 곳.

먹어 볼 만하다고 생각했을까.
엄마 아빠가 먹으면 따라서 일단 먹고 보는 둘째.

포즈 잡기

～～～～～

～～～～～

～～～～～

나는 사진 찍히는 걸 좋아하지 않는다. 다 같이 찍어야 하는 상황에서 함께하기는 하지만 찍힌 내 표정을 보면 무언가 기운이 없다. 표정을 만들어 지어보여도 그렇게 어색하다.

첫째가 6세가 되면서 처음 유치원에서 찍은 사진들의 표정이 그렇게 어색했었다. 그래서인지 선생님이 표정이나 포즈도 가르쳐주시고, 찍을 때마다 예쁘게 나오는 팁을 알려주시는 듯 했다.

가족과의 나들이에서 사진찍을 때 선생님이 가르쳐주신 걸 생각하며 하는 듯 하다가도 일부러 무표정에 카메라를 보지 않는다.

"사진 찍을때마다 스마일 하는 거 안하고 싶어." 라고 한 적이 있었다. 그럴수도 있겠다 싶어 보통은 자연스러운 모습을 찍으려고 한다.

요즘 사진을 볼 때마다 미소 짓게 된다. 자세도 표정도 참 자연스러우면서 귀엽다.

사진 찍히는 법도 가르쳐주고 배워야 안다.

너의 이름의 부를 때 행복하다

날개를 단 달팽이의 힐링 에세이

서
수
영

서수영

×

우리 속에 있는 내면 아이가 집을 찾아
포옹하고 힐링하며 나비가 되는 마법 이야기

너의 이름을 부를 때
나는 행복하다

내가 너를 나비라고 부르면
너의 날개에 숨어 있던 이야기들이 피어난다
내가 나비야 하고 너를 부르면
너는 날갯짓을 하며 나에게로 온다
너의 이름 속에 들어 있는 또 다른 세상을 알려 주려
번데기 속 어두움이 이 세상에 전부가 아니라는 것을
빛이 스며들어 찬란히 아름다운 시간들이 있다는 것을
너의 이름에 시간은 영글어 빛나고 있다고
너는 춤추며 온다
내가 너를 무제라고 부르면 너는 너의 빛을 잃어버린다
봄날 배추밭을 기던
푸른 애벌레의 꿈을
너의 이름은 기억한다
어두운 고치에 갇혀
슬픔에 젖어 한 줄기 빛을 기다려야 했던 아픔을
너의 이름은 알고 있다
누에의 껍질이 벌어지며
빛이 바늘처럼 너의 눈을 찌르던 빛과의 만남을
너의 이름은 담고 있다

나비야,

너의 이름을 부를 때 나는 행복하다

* 제1회 윤동주 신인상 수상작, 월간시

어린 영혼이 찾아온 집

언제나 우리 속에는 집이 있다고 나는 생각한다.

어떤 집일지는 깊이 들여다보아야 알 수 있을 것이다. 때로 그 집은 모양을 바꾸기도 하고 보이지 않는 척하다가 나타나기도 하고 그러니까 말이다.

우리가 어떤 아이로 자라왔는지에 따라 집의 모양은 달라지지 않을까 싶다.

어떤 아이의 집은 단지 나무 한 그루가 심긴 집일지도 모른다. 그 아이는 나무를 베어 기둥을 만들고 지붕을 만드는 법을 몰라 비가 오면 겨우 나무 그늘 밑에서 비를 피하고 살아왔을 것이다.

어느 날, 아이는 키가 자라 성인이 되었고 자신의 나무를 잊어버리고 살았다.

성인이 살아야 할 집을 얻고 일을 구하고 정신없이 살지만, 이상하게도 늘 가슴 속에 무언가 자신을 기다리고 있다는 것을 알았고….

잠을 잘 수 없는 날들이 이어지며 자신의 집이 있다는 것을 기억하지 못하게 되었을 때,

성인이 된 아이는 두려움에 자신의 몸을 감쌌다.

그러자 두려움이 둘둘 말아지기 시작했다.

빛이 사라진 시간에

성인이 된 아이의 이름은 무엇일까?

우리가 무제라고 하면 아무런 의미를 갖지 않게 되는 신기하고도 슬픈 힘에서 해방되는 일은 누군가의 이름을 부르거나 한 사물이나 작품에 이름을 선사하는 일이다.

유난히 섬세하고 말하기를 좋아했던 아이의 이름을 달팽이라고 불러본다.

누구보다 더 빠르게 세상을 향해 나아가고 싶었지만 허약한 몸으로 뒤처지며 천천히 걸어야 했던 달팽이.

달팽이는 무엇이 그렇게 두려웠을까?

내면 아이는 전혀 나이를 들지 않는데 달팽이는 점점 나이가 들어가면서 자신의 존재는 햇살처럼 사라지고 이 세상에 남는 건 햇살의 흔적뿐이라는 생각 때문이었을까?

살아가려고 발버둥 쳤던 시간마다 받았던 상처들이 치유되지 않고 마음에 자리 잡아가면서 달팽이는 더는 기어갈 수 없다고 생각했었나….

이 세상에 내가 속할 집이 없는 연약한 육신만이 남게 될지도 모른다는 두려움이 달팽이를 사로잡았을 때 달팽이가 찾고 있는 햇살은 사라지고 어두움이 끊어지지 않을 것 같은 불안이 실이 되어 고통처럼 달팽이를 감아버렸다.

빛이 사라지고.

그래 빛이 보이지 않자 달팽이의 마음에서 절망은 보이지 않는 날개처럼 퍼덕거리기 시작했다.

빛을 기다리는 시간에

빛이 없다는 것….

그것만큼 견디기 힘들고 두려운 시간이 있을까?

아무리 깊은 터널이라도 저기 끝에서 빛이 보이고 나갈 수 있다는 희망을 읽을 수 있다면 우리는 아무리 깊어도 저기까지 걸어갈 수 있을지도 모른다….

공황.

미래에 닥쳐질 일들이 두려워 자신에게 주어진 시간을 제대로 받아들이지 못하고 정말 아무것도 아닌 작은 일도 제대로 하지 못하는 그런 상태.

그런 상태를 공황이라고 말한다.

달팽이는 자꾸 무서워졌다. 길거리에서도 지나가는 누군가에게 나 좀 살려달라고 그렇게 말하고 싶었다.

자꾸만 빛은 보이지 않고 어두움만이 이 세상에 전부인 것처럼 몰려들었다.

한 발자국 앞으로 나아가는 게 어려워서 죽음의 공포로 떨어야 하는 그 시간에.

그제야 빛의 기억을 잃어버린 달팽이는 오래전 자신의 내면에 심긴 나무 한 그루를 기억했다.

누군가는 말했다.

절대 죽지 않는다고. 그러니 차라리 예배당으로 달려가 죽기를 각오해보라고.

그래. 죽음이 무서워 죽음을 피하는 것이 아닌 죽지 않으려고 죽음을 마주하는 시간을 위해 달팽이는 예배당으로 갔다.

그건 살고 싶다는 발버둥이었고, 희망이 있다는 신호였는지도 모른다….

몹시 추운 겨울날 잠을 자지 못하고 새벽만을 기다리던 그 시간. 어두운 골목을 지나 한참을 걸어가면 때론 예배당 문이 닫혀있곤 했다. 할 수 있는 건 바람이 덜 들어오는 골목 구석에 서서 문이 열리기까지 기다리는 일이었다.

너무 춥고 어두운 시간이었지만,

그건 빛을 기다리는 시간이었다.

빛들이 나비의 날개처럼
춤추는 걸 보았다.

젊은 시절에도 한두 번 잠을 못 이루는 적이 있었다.

언제나 가야 할 길은 멀게만 느껴졌고 그것이 압박되어 잠을 못 이루는 날 예배당에 갔던 기억이 난다….

기억 속 붉은 벽돌로 만들어진 예배당은 안개 너머 짙은 어둠이 깔린 하늘 밑에 있었다. 별이 있었는지 기억할 수 없다.

다만 그 예배당을 걸어가던 달팽이의 뒷모습이 생생히 기억난다….

새벽이 오기를 기다리며 어둠이 깔린 예배당 안에서 그렇게 앉아있었던 시간, 어둠은 허무의 냄새가 아니라 창조의 향기를 띠고 있었고 이상하게 도 두려움이 아니라 편안함을 주었다.

마치 달팽이를 감싸고 있는 이 어둠이 달팽이를 헤치지 않을 것이라는 안 도가 숨결처럼 다가왔다.

순간 예배당을 감싸는 빛을 느꼈다.

빛들은 붉은 벽돌 사이로 스며들어왔다. 눈을 찌르는 것 같았지만 날카롭지 않았고 곧 나비의 날개처럼 춤을 추기 시작했다.

벽돌 사이로 들어오는 햇살 한 줄기마다 나비가 되어 춤추는 광경이란.

결코, 잊을 수 없는 이미지가 되었다.

내면 아이, 나무를 찾다.

달팽이가 죽을 거 같아 고통받고 있을 때, 친한 언니에게서 전화가 왔다.

마음은 종이 한 장과 같아, 앞면에서 뒷면으로 뒤집으면 되는데 뒤집는 것은 아주 작은 마음의 결심인지도 모른다고 했다.

그래, 왜 이렇게 마음 바꾸기가 쉽지 않을까.

감사해야 할 순간들을 떠올리고 감사하며 이렇게 살아온 삶을 칭찬했지만, 달팽이의 마음은 나아지지 않았다.

고통의 순간을 회피하고만 싶었다.

누군가가 손을 잡아주고.

누군가가 대신 이것을 해 주고.

이런 마음을 버리려고 하면서 할 수 있는 것들을 찾아 나서는 길 위에서

어떤 사람들은 괜찮아지고 있다고 소식을 전하는 달팽이를 떠나갔고

어떤 사람들은 괜찮아지려 노력한다는 문자를 받아줬으며

어떤 사람들은 괜찮냐고 전화를 주었다.

달팽이는 생각했다.

이 시간은 어쩌면 다시 내면 아이가 나무를 찾아가야 할 시간.

그러나 그 나무를 찾기는 그리 쉽지 않았다.

이상과 현실의 괴리에서

달팽이가 힘겨워 한때는 달팽이의 친구라고 생각 되었던 사람에게 몇 번 전화했을 때의 일이었다.

한두 번 이야기를 주고받았고 잠을 이루지 못한 날 저녁에 전화했었는데 그 사람은 전화를 받지 않았다. 그러더니 문자가 하나 왔다.

특정한 등급을 받고 도와주는 공무원의 번호와 빨리 신청하라는 간단한 메시지.

달팽이는 그 사람에게 이걸 꼭 해야 하냐고 물었다.

혼란스러웠다.

그래서 말했다.

아직 잘 모르겠다고, 이상과 현실의 괴리에서 오는 현상인지, 정말 달팽이의 정신에 문제가 이상이 있는건지.

하지만 달팽이는 그 공무원을 찾지 않았다.

그리고 그 사람에 대해 먼저 생각을 해 보았다.

친구라는 이름으로 그 사람은 늘 달팽이에게 증명을 요구했다.

직접과 간접적으로 달팽이는 그 사람 앞에 서면 증명해야했다.

이만큼 성취했고, 이만큼 살만하고, 이만큼 경제적 부를 이루어야 하고,

이만큼…. 그렇지 못했기 그 친구를 생각하면 부담스러웠다.

그 친구가 인정하고 존경하는 사람은 이런 성취와 경제적 부를 이룬 사람이어야 하는….

늘 뭔가가 뒤처져 있고 그렇게 살기 위해 무언가 하고 있다고 달팽이가 증명해야 했던 지난날들

친구란 증명해야 한 대상이 아닌데.

발버둥 치며 무언가 이만큼 했음을 보여주어야 하는 것도 아니고.

그저 거기에 있고 여기에 있어도 편안하고 만나고 싶은 존재인데.

달팽이가 쓴 친구라는 시가 있다.

친구

친구야,

너를 보고 웃는다

너 거기에 있니 묻지 않아도
너는 거기에 있고
또 나의 가슴에

너는 어디에 있니 묻지 않지 않아도
너는 어딘가에 있고
또 나의 가슴에

너와 나의 삶의 순간순간이
빛나는 오늘이 된다는 걸

우린 알기에

너를 생각하고

또 나를 생각한다

…

혼란을 느끼는 달팽이에게 그 사람은 등급을 받으라는 압박을 주고는 무 자르듯이 연락을 끊었다.

어려움이나 기쁨이 우리에게 찾아올 때 우리는 누가 친구이고 누가 친구 가 아닌지 알게 되는 것이 아닐까.

이상과 현실의 괴리는 달팽이에게 자신 속에 있는 내면 아이가 찾고 싶었 던 나무를 기억나게 했다.

잊어버리고 살았던 한 그루의 나무.

그걸 찾아야했다.

어떤 새들은 어두워지면
길을 찾아 떠났다.

불안을 느끼고 잠에 못 들자 수면제를 먹어도 소용이 없었다.

처음엔 반 알, 그리고 한 알을 먹어도 잠은 오지 않았다. 어느 의사는 불안을 덜어주면 잠이 오고 생체리듬을 찾는다고 달팽이에게 약을 처방했다.

두 알을 먹었을까?

더 불안하고 견딜 수가 없었다.

의사를 다시 찾았을 때 그 의사는 달팽이를 야단쳤다. 왜 의사에게 다시 갔을까?

힘들어서였겠지.

어쩌면 극복할 수 있습니다. 용기를 내세요.

그 소리를 듣고 싶었는지도 모른다.

그러나 의사는 달팽이를 지렁이처럼 대했고 화를 냈고 약을 먹으라고 강요했다.

그때 달팽이는 깨달았다.

약을 버려야 한다는 것을.

집으로 돌아와 달팽이는 수면제를 비롯한 불안감소를 도와준다는 약을 버렸다. 쓰레기통에 약이 들어가고 그걸 수거차가 실어가는 소리를 들으며 생각했다.

내가 무엇인지 증명할 필요가 없다고.

특히 그것이 번영이라는 이름으로 만들어진 날개일 때는 번영의 날개를 떼고 차라리 이 어두움의 시간에서 달팽이가 날개를 달 시간을 기다려보자 했다.

번영의 탑속에서 사람들이 만들어 놓은 물질의 확장이 아닌 성취라는 것이 잘못하면 허구적 존재로 이끌어 진정한 자신을 잃어버리고 기름지고 탁한 마음으로 뒤덮게 하는 것이 아닌.

작지만 달팽이는 달팽이이고

달팽이가 해야 할 일이 있을 것이라고.

그리고 달팽이가 지은 또 하나의 시가 생각났다.

어떤 새들에 관한 기억

날이 어두워지면

어떤 새들은 길을 찾아 떠났다

길을 보여주는 것은

어두움이 아니라

별빛이라는 것을

알았기에

...

그래 새들이라고 언제나 낮에 길을 떠나는 것은 아니지.

길을 보여주는 것은 어두움이 아니라 별빛이라는 것을.

달팽이는 느릿 몸을 움직였다.

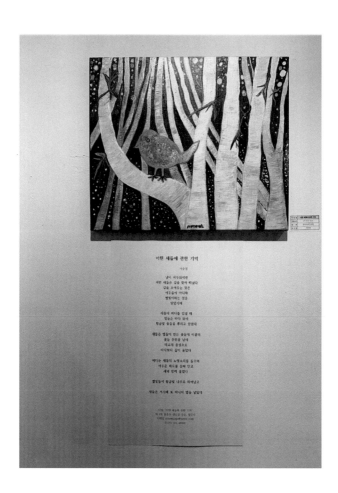

어떤 새들에 관한 기억

이수영

날이 어두워지면
어떤 새들은 길을 찾아 떠난다
길을 보여주는 것은
어둠속의 어디과
별빛이라는 것을
믿었기에

새들이 바다를 건널 때
별들은 바다 위에
황금빛 돛을 펼치고 있었다

새들은 별들이 빚은 물살의 비늘의
꽃을 주워을 날며
파도의 중심으로
바다보다 깊이 울었다

떠나는 새들의 노랫소리를 들으며
어두운 파도를 입에 담고
새과 함께 울었다

별모들이 황금빛 나무로 피어났고

새들은 거기에 또 하나의 별을 낳고 있었다

시집, 어떤 새들에 관한 기억
박스에 옮음은 생각을 조용 밝힌다
이메일 sirumkeap@naver.com
인스타 @si_artrain

이 세상에 위로만큼 웃음만큼
아름다운 씨앗은 없다.

달팽이는 겨우 기어나와 산책을 하기 시작했다.

같이 걸어가 줄 동무가 필요해서 지인들에게 전화를 하면 대게 냉정하게 거절했기에 마음은 아팠지만, 혼자라도 걸으며 조물주가 주신 자연 속에서 달팽이 속 달팽이와 대화를 나누었다.

지방에 사는 친한 언니에게서 매일 전화가 왔다.

잘 극복하고 있니? 어떻게 지내고 있어?, 뭘 하니? 그렇게 묻지 않았다.

너, 괜찮니?

언니는 그렇게 물었다.

몸이 약해서 그래. 나도 우리 엄마도 몸이 약해서 잠을 잘 못 자 힘들 때가 많아.

롤로코스터를 타는 거지, 호르몬이 변하니까.

그거 뿐이었다.

등급을 받아 치료해야 한다든지 하는 말은 아예 없었다. 약을 먹으라는 말도 없었다. 언제나 언니는 너 괜찮니?, 그 말뿐이었다.

정말 괜찮아지고 있었다.

몇 시간 정도는 잠을 잘 수 있었다.

강변을 돌며 언니와 통화하면 언니는 이런저런 사는 이야기를 해주었다. 산다는 게 거기서 거기지, 언니는 맑은 목소리로 때로는 웃으며 이야기했다.

네가 원하는 대로 해, 맘 편하는 대로.

달팽이를 압박하고 있던 것으로부터 완전히 자유롭지는 못했지만 가쁘고 힘들었던 숨이 참기가 쉬워졌다.

그렇게 달팽이는 숨을 쉬며 걸었다.

한 그루의 나무에
기대어 울었다.

달팽이의 집에는 마음을 잡아채는 쓴 뿌리들이 있었다.

어느 날 소개를 받아 상담을 받으러 갔다.

좋은 분이셨지만 한편으로는 좋지 않은 분이시기도 했다.

달팽이의 내면 아이의 아픔을 이해하고 알려주셨지만 달팽이의 마음이 힘드니 그걸 통해 개입하고 싶으셨던 것 같다.

사람들은 그걸 가스라이팅이라고 부르기도 한다.

시집을 선물 드렸을 때, 제목에 대해 안 좋은 소리를 하셨고 달팽이가 만든 캐릭터가 슬퍼 보인다며 자꾸 그분이 속한 단체에 속하기를 원하셔서 몇 번을 거절하다가 결국 인연을 정리해야 했다.

어느 날 달팽이의 그림 작품을 건 전시회에 오신 시인분이 시집 제목을 보고는 철학적이며 많은 의미를 내포하고 있다며 시도 어렵지 않고 아름답다고 하셨을 때 달팽이는 웃었다.

터널을 벗어나면 보이고 들리는 이런 말들을 듣기 위해 달팽이가 걸어야 했던 그 시간들.

달팽이는 그걸 의학적 용어나 심리적 용어로 말하지 않으려 한다.

그건 나비의 상징을 이해하기 위한 우리에게 주어진 시간.

달팽이도 나비가 될 수 있고, 자신만의 날개를 가질 수 있는 시간의 한 축.

다만 그 길고 추운 터널에서 벗어나려면 매일 한두 걸음씩 걸어 나와야 하는 아리아드네의 실을 찾아가는 여정.

달팽이는 집을 찾아갔다.

달팽이의 나무는 너무 아파하고 있었던 걸 몰랐던 것이다.

가슴으로 말하며 이해하는 어른들이 없었던 집에는 달팽이가 집을 지을 공간이 없었다. 기댈 수 없는 어른이 없었던 그 집에서 달팽이는 웅크린 내면 아이였고 날개를 펼칠 수 없었던 애벌레였다.

네가 뭘 할 수 있냐고, 네까짓 게.

그런 말 하나가 아직도 가슴에 흔적으로 남아있다.

달팽이는 그 나무의 뿌리가 많이 아파하고 있음을 알았다.

그래서 달팽이는 거기에 사람들이 준 위로와 웃음의 씨앗을 넣어주었다. 그리고 이 세상 누구보다도 달팽이만이 그 나무를 안아줄 수 있다는 걸 알았다.

달팽이는 그 나무를 꼭 안아주었다.

그 나무는 하늘에 뭉게구름을 보면서 이야기했던 아이였고, 책을 읽고 나서 사람들에게 그 이야기를 재미나게 해 주던 아이였고, 골목길에서 노는 걸 좋아하던 아이였고, 느끼는 바를 이야기하는 걸 좋아했고, 시를 쓰며 글을 쓰며 공상에 빠졌고, 만화책을 아주 좋아했으며, 아직도 사랑에 배고픈 아이였다.

달팽이는 그 나무의 아픈 부분을 잘라주었다.

상상력이 지나치다고 말도 안된다고 말하던 그 비웃음들을, 말이 왜 이리 많냐고 핀잔받던 그 순간들을, 어린아이에게 지워진 그 무거운 짐을 내려 주었다.

달팽이는 그 나무에 기대어 울었다.

이 글은 달팽이의 힐링 에세이인지도 모른다.

우리의 삶은 매일 사랑이라는 약을 먹고 살아야 하는지도 모른다.

삶에서 고민이 없다는 건 거짓말이겠지.

그러나 잠을 잘 수 있다면,

우린 그 삶 속으로 들어갈 수 있으리라.

달팽이는 느릿느릿 다시 걸어가지만 잠을 아주 많이 자고 있으니 말이다.

어느 땐 느린 달팽이가 싫어 새가 되고 싶어졌다. 그럼 작은 새 한 마리가 되면 되지. 그러나 새들도 하늘을 날기 위해 수만 번의 날갯짓을 하는 것을 달팽이는 알고 있다.

때로는 달팽이처럼, 때로는 한 마리 작은 새처럼, 때로는 너울거리는 나비의 날갯짓으로.

매일이 다시 태어난다.

우리는 아침에 나비가 되고 새가 된다.

아침마다 새 한 마리 날아와 이렇게 노래한다.

-우리에게 사랑이란 약을 다오. 자신만이 그 약을 가장 진하게 제조할 수 있어.

이렇게 말해보고 싶다.

밤은 나비의 날개를 만드는 창조적 시간이고

그 이름을 부를 때 행복하다는 것을.

'나비야, 너의 이름을 부를 때 나는 행복하다.'

엄마, 그리고 나

아
영

아영

×

올 한해 나에게 일어난 일들은 마치 드라마
와도 같았다.
다양한 감정변화와 함께 나를 돌아본 일 년
의 기록을 담았다.

마치 교통사고

'하.. 혼자 살고 싶다.'
정적을 깬 그의 한 마디로 나름 잘 지내던 우리 가족은 끝이 났다.
그저 힘들어서 그런가 싶다가도 갑자기 왜 그러는 것인지 이유를
알 수 없어서 답답했다.

그와 나의 사이가 틀어진 지 한 달이 되던 날, 한 통의 전화로 그
이유를 알게 되었다. 그럴 사람이 아니라는 확신이 있었기에 실체
를 알고는 말로 형용할 수 없는 배신감과 분노를 느꼈다. 어쩌면
나는 그의 행실에 대해 예상했음에도 불구하고 애써 외면하고 있
던 것일지도 모른다.

이유를 알고 나니 그간 그의 옷차림이나 귀가 시간 등, 여러 가지
퍼즐이 한 번에 맞춰졌다. 그렇게 내 속을 뒤집어놓는 말을 던져두
고도 내가 해주는 밥을 먹으며 다른 이에게 마음을 주고 있던 그를
생각하니 마치 교통사고를 당한 느낌이었다.

혼자 살고 싶다고 애들 데려가서 살라던 사람이 다른 이와 그의 자식에게 눈길을 두고 있을 줄을 누가 알았을까. 미안하다는 말은 그날 한 번뿐이었다.

애들 때문에 살아냈다. 아니 '덕분에' 살아낼 수 있었다.
서너 달을 무슨 정신으로 살아냈는지 모르겠다. 나는 살아있었지만 죽었다. 할 일이 없어도 끊임없이 몸을 움직였고 지옥과도 같았던 시간을 지나 나는 다시 일어설 수 있었다. 그 사람 덕분에 좀 더 단단해질 수 있었다.

나의 배우자는 없는 것이지만 애들 아빠가 없는 것은 아니기에 나에게 이혼은 두렵지 않았고 그를 끊임없이 원망하거나 저주하지도 않는다. 그것 또한 그 사람에 대한 마음을 속에 두고 마음을 어지럽히는 것 아닌가?

우리의 가정, 나와 네가 책임을 다해 지켜내지 못했다. 비록 평범한 가정의 형태는 아니지만 아이들의 부모로서 각자 열심히 살아내며 아낌없는 사랑을 주고 싶다.

사연 없는 사람은 없다.
그저 한쪽에 묻어둔 채 살아나갈 뿐이라는 걸 깨달았다.

나를 찾는 여정

일찍이 결혼해서 직업을 가질 새 없이 아이를 낳아 키웠다. 할 줄 아는 건 꽤 있었지만 그간의 나는 엄마로서의 임무만을 하고 살다 보니 하나둘씩 내가 원하는 것들을 잊어갔다. 그러다 마주한 절망 앞에서 나의 감정은 수없이 무너지곤 했지만 아이러니하게 그럴수록 '나'를 찾기 시작했다.

당장 눈앞에 다가올 현실을 두려워하는 대신 여러 계획들을 짜기 시작했다. 제일 중요한 나의 경제활동은 무엇으로 어떻게 해야 할까를 고민함과 동시에 좋은 기회로 내 전공을 살려 초등학교에 출강을 나가게 되었다. 비록 수입은 얼마 되지 않지만 나에겐 전혀 걱정거리가 되지 않았다. 엄마가 아닌 온전한 나의 이름으로 할 수 있는 일이 있다는 것, 경제활동을 할 수 있다는 것으로도 감사했다.

'화'가 많은 사람

말만 하면 화부터 내는 사람, 그 사람이 우리 아빠다. 말투에 화가 장착되어 있지만 가만히 들여다보면 따뜻한 마음으로 하는 말들이다. 나는 그런 아빠를 닮았다. 화난 말투에 모나게 이야기하는 때도 종종 있어서 항상 말하기 전에 생각하고 내뱉으려 신경을 곤두세우곤 한다. 어릴 적에는 나에게서 보이는 아빠의 모습이 마냥 싫었는데 이제는 나쁘지 않다. 아빠 삶의 일부인 '나'라서 아빠가 비치는 것은 당연한 것이니까 말이다.

그러나 올해 뿜어낸 나의 화는 미처 감당할 수도 없이 많은 스트레스를 한꺼번에 받은 탓인지 풀어낼 새도 없이 터져버렸다. 화를 당사자인 나도 내 화를 주체할 수 없었고 너무 버겁게 느껴졌다. 내가 싫어했던 예전 아빠의 화내던 모습보다도 싫을 정도로.

23년의 끝자락에 선 지금, 나의 화는 이전보다 나아졌지만 여전히 감정을 매만지는 연습으로 하여금 줄여나가는 중이다. 내년엔 웃기만 하는 나날들을 마주하길 바라며.

엄마처럼 살지 않을래

"나는 엄마처럼 살지 않을 거야."

성인이 되고 내 마음속으로만 하던 생각을 입 밖으로 내뱉었다. 그저 철없이 하는 말이 아님을 엄마는 알고 있을 것이라고 판단했기 때문에 할 수 있던 말이다.

물론 엄마에게는 상처가 될 수 있는 말이라 걱정되기도 했으나 엄마가 되어보니 알겠더라. 돈이 많든 적든 지금 좋은 환경에 살고 있더라도 부모라면 당신들의 자식이 당신들보다는 좀 더 나은 삶을 살길, 당신처럼 살지 않길 바라는 마음이라는 것을.

남들과 비슷하게 결혼할 때에 결혼하고 아기를 낳아야 할 시기에 아기 낳고... 그렇게 흘러가는 대로 따라 사는 삶이 아닌 나의 모습 그대로 매 순간의 삶을 후회 없이 살아가는 그런 삶을 살아냈으면 하는 마음이라는 것을.

시간이 흐른 지금, 엄마 모습 이대로 아름다운 시간.
- 아영, 엄마이기에

기댈 수 있는 사람들

살면서 힘든 일이 생기면 저절로 가족을 찾게 된다. 우리 집은 1남 3녀로 내가 장녀임에도 불구하고 동생들과의 소통을 통해 마음을 터놓기도 한다. 셋째와 늦둥이 막내랑은 나이 차이가 있다 보니 보통 두 살 터울인 둘째에게 조언을 주고받기도 하고 친구처럼 이런 저런 이야기를 터놓곤 한다. 어릴 적엔 외동인 친구들이 부럽기도 했는데 이젠 그 친구들이 나를 부러워하는 지금, 나에게 많은 형제를 선물해 주신 부모님께 감사하다.

특히나 올해는 더욱더. 내가 잠깐 무너지더라도 언제든지 다시 일어설 수 있게 나의 아가들과 함께 양옆에서 든든한 버팀목이 되어 주었다.

언제나 내가 동생들에게 버팀이 되어야 한다고만 생각을 했었는데 첫째라고 기대지 말라는 법은 없구나, 그러고 보니 나의 두 아이도 점점 자라면서 서로에게 기댈 수 있는 존재이니 든든하겠구나 하며 생각하곤 한다.

엄마, 그리고 나.

연초부터 큰일을 겪고 나니 나는 철저하게 무너져내려갔다. 눈물 샘은 고장 난 것처럼 눈치 없이 뚝뚝 흐르던 눈물과 그런 상황 속에서 무의식적으로 아이들을 챙겨나가던 나를 보니 나도 엄마는 엄마구나 싶었다.

맞다, 엄마는 아이들의 우주라고 하지 않았던가? 그 조그마한 아이들도 자신들을 지키기 위해 아이들 나름의 최선을 다하고 있었다.

하루에 수십 번도 더 무너져가는 엄마의 모습을 바라보던 아이들은 그들만의 방식으로 엄마의 마음을 매만져주었다. 그런 아이들이 있었기에 나는 마음을 다잡고 엄마로서 그리고 나, '이아영'으로 다시금 일어설 수 있었다.

믿지 않는 자의 성경필사

미
미

미미

×

종교를 가져보라고 하셨다. 아무것도 하지
않아도 된다고
그저 가서 기도하면 된다고. 당신은 무언가를
믿어야한다고 무어라도 믿어보라고 하셨다.
하나님이 아니여도 된다며. 종교를 한번 가
져보라하셨다

람이 감당할 시험밖에는 너희가 당한것이없나니 오직 하나님은 미쁘사
희가 감당하지 못할 시험 당함을 허락하지 아니하시고
험당할 즈음에 또한 피할길을 내사 너희로 능히 감당하게 하시느니라
—고린도전서 10장 13절

람이 감당할 시험밖에는 너희가 당한것이 없나니 오직 하나님은 미
희가 감당하지 못할 시험 당함을 허락하지 아니하시고
험당할 즈음에 또한 피할길을 내사 너희가 능히 감당하게 하시
—고린도전서 10장 13

이 감당할 시험밖에는 너희가 당한것이 없나니 오직 하나님은 미
가 감당하지 못할 시험 당함을 허락하지 아니하시고
당할 즈음에 또한 피할길을 내사 너희가 능히 감당하게 하시
—고린도전서 10장 13

이 감당할 시험밖에는 너희가 당한것이 없나니 오직 하나님은
가 감당하지 못할 시험 당함을 허락하지 아니하시고
할 즈음에 또한 피할길을 내사 너희가 능히 감당하게
—고린도전서 10

믿지 않을수가 없었다.
기도하지 않고서는 베겨낼 재간이 없었다.
내밀것이 두 손말고는 없었다.
가진것이 없었다.

나는 아무것도 믿을게 없었다.
멍텅구리같은 허튼것들이
나를 사로잡은것 같았다.
내게 마구잡이로 달려올 것같았다.
무서워지는게 많았다.
발바닥부터해서 목덜미 뒷 솜털까지 예민해졌다.

기도하는 것 말고는 할 수 있는게 아무것도 없었다.

주의 말씀대로 나를 붙들어 살게 하시고

내 소망이 부끄럽지 않게 하소서

－시편 119편 116절

예수께서 이르시되 할수 있거든이

무슨 말이냐

믿는 자에게는

능히 하지 못할 일이 없느니라

— 마가복음 9장 23절

교회를 가보았다.
우는게 부끄럽지 않을 수 있는 곳을 찾은것 같았다.
큰 광장안에서 많은 사람들 속에서도
그 십자가 앞에서는
나 혼자 울어도 괜찮은것 같았다.
무엇을 믿는건지
믿는것에도 방법이 있는건지
알 수는 없었다.
그냥 울어도 되는곳을 찾은것만이 내가 가진
다행의 전부같았다.

기도하는 마음으로 살면 될까
울고 싶을 때 하나님을 부르면 평안이 찾아올까
기도하는 방법을 몰라 우선 십자가를 샀다.
믿는게 어떤 것인지 몰라 성경필사를 시작했다.

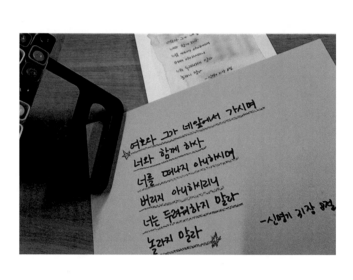

여호와 그가 네앞에서 가시며
너와 함께 하사
너를 떠나지 아니하시며
버리지 아니하시리니
너는 두려워하지 말라
놀라지 말라

-신명기 기장 8절

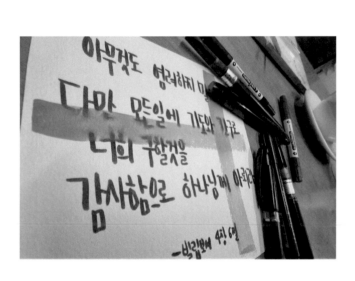

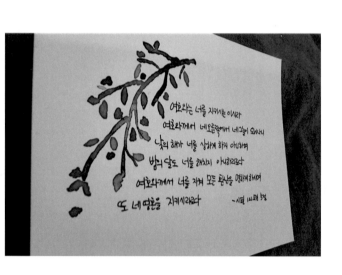

여호와는 너를 지키시는 이시라

여호와께서 네 오른쪽에서 네 그늘이 되시나니

낮의 해가 너를 상하게 하지 아니하며

밤의 달도 너를 해치지 아니하리로다

여호와께서 너를 지켜 모든 환난을 면하게하시며

또 네 영혼을 지키시리로다

~시편 121편 5절

내가 검은밤 검은꿈속에 시달리는 것은
내가 간직한 수많은 비밀들때문입니까?
보세요.
전 저혼자라도 일어나 가보려고 애쓰는 사람입니다.
보세요.
전 다른이를 일으키고
뒤이어 저혼자 엎드려 통곡하는 사람입니다.
저 좀 보시라구요.
시퍼런 먹물같은 자국 앞에서도 두 눈 동그랗게 뜨고 있는 것이
바로 저람 말입니다.
그래도 내가 기도해야 합니까?

그럼에도 내가 다시 이 깊은 밤 두 눈을 감사해하는것은 새생명
을 보았고, 활기찬 움직임을 보았고
아무것도 담겨있지 않은 눈망울을 보았기 때문입니다.
그럼에도 꽁꽁 언 두 손을 모아 앞세워 바치는것은
먹이를 나누어줄 수 있고 어린것들의 다리며, 이마며, 뱃가죽을
한 번 더 쓰다듬을 수 있고 새 빛을 만질수 있을것 같은 예감 때
문입니다.
나의 감사가 당신에게 닿기를. 반드시 닿기를.

내 나이 마흔 즈음에 드는 생각

민
트
초
코

민트초코

×

그때의 나.
지금의 나.
미래의 나.

사회 생활

‘사회’가 무엇인지, ‘사회생활’은 무엇인지 분명 아무것도 몰랐던 시절
이 내게도 있었다.
짧고 굵게 다닌 학교를 졸업하고 남들 다 하는 ‘취직’이란 걸 유행처럼
따라야만 했던 시절.
정말 아무것도 모른 채로 학교에서 소개해 준 작은 출력실에 취직했던 날,
백만 원도 안 되는 월급을 받기로 하고 이리저리 눈칫밥을 먹어야 했던
그날.
아무것도 가르쳐 준 것도 없으면서 이 정도는 알아야 함께 일할 수 있
다고 혼이 났고 쫓겨났던 그날.
나는 무슨 생각을 했었을까.

새빨개진 원고를 받아들고 길이도 재보고 각도도 재보며 컴퓨터로 삼
각형도 그리고 사각형도 그리고..
한마디로 ‘을’의 회사를 다녔던 나는 ‘을’의 ‘을’이 되어 지난 새벽 내가
완성한 교정지 한 쪽을 컨펌받았다.
지난 새벽의 공기가 무색하게 바깥은 쨍쨍, 너도 나도 울려대는 클락션
소리에 오늘도 이렇게 시간은 가는구나.
사무실에 앉아 지난밤의 시간을 채운 나는 꾸벅꾸벅 졸면서도 얼마 되
지 않을 야근비를 생각하며 미소 지었다.
그때 나는 행복했을까.

문득 돌이켜보니 어느새 24년 전의 나.
그때와 지금의 나의 ‘사회’는 무엇이 달라졌을까.

꼰대 스타일

"여기 테이프 떨어졌는데 확인 안 했니? 칼 심도 다 썼잖아. 돌아다니면서 이거 보면서 비었으면 채워 넣어야지! 다음부터는 미리미리 좀 채워놔줄래?"

목구멍까지 나는 테이프와 칼을 쓸 일이 없다고, 본인이 확인하고 채웠으면 좋겠다고 말하고 싶었다.

하지만 그러지 못했다. 들어온 지 얼마 안 된 신입이 '마땅히' 해야 하는 일이었기 때문이다.

요즘 말로 '꼰대'라고 생각했고 그런 일이 있은 직후 '꼰대'와는 상대하지 않겠다 마음먹었다.

물론 마음은 그렇게 먹었지만 몸은 움직이고 마는 불행한 일은 꽤 벌어졌지만 말이다.

지금의 나는 그때 내가 생각했던 그 '꼰대'가 되었을까.

문득문득 '그땐 그랬지', '그래도 사회생활을 시작할 그때가 더 좋았던 것 같네' 식의 생각이 자꾸 드는 걸 보니 나도 '꼰대'가 되었나 보다 생각한다.

그래도 적어도 나는 잔일을 시키거나 무언가를 요구하는 일은 안 하는 것 같은데..

오늘은 나만의 꼰대 스타일에 대해 생각해 봐야겠다.

아름다웠을 그 시절

아침 출근을 하며 기대되는 활기 참이 있었다.

반갑게 인사를 나누는 사람들과 오늘도 어떤 일이 있을까 하는 기대감.

함께 퇴근을 하는 차 안에서 급조된 저녁 식사 자리에서 나눴던 정.

눈으로 모니터를 보고, 손으로 각자의 마우스를 째깍째깍 움직이고, 입으로 하하 호호 떠들어댔던 그때.

그때도 분명 지금처럼 따분하고 지루했던 일상이 있었을 텐데 지금 생각하면 너무도 즐거웠던 그때.

아마도 지나고 나니 아름다웠을 그 시절..

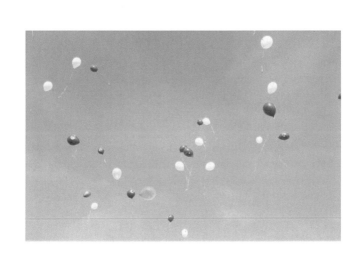

평범한 일상

대부분의 사람들이 느꼈을 똑같은 일상의 반복의 지루함이 나의
30대엔 그저 평범한 일상이었던 것 같다.

그런 일상의 반복 안에서도 제법 성취감과 행복감을 느끼며 결
혼을 하고 아내가 되었고, 또 아이를 낳고 엄마가 되는 인생의
엄청난 변화를 겪으면서도 그저 그것이 평범하게만 느껴졌으니
말이다.

그렇게 30대를 잘 마무리하고 이제 40대의 중반을 넘어가고 있
는 지금은 그렇게 당연하고 평범하게 흘러가던 시간의 공허함이
오고 있는지도 모르겠다.

어느새 팽팽하던 피부는 주름이 하나둘 늘어나고, 검었던 머리
사이에 흰머리들이 올라온다.

더 멋진 나이 듦을 기대했던 나의 바람과는 조금 벗어난 일상을
살고 있지만

이 또한 언젠가는 익숙해져 그저 평범한 일상이 반복되기를..

이렇게 반복되는 일상의 모든 것들을 뛰어넘어 더 멋진 50대를
선물해 주기를..

낯선 길

어디선가 들었는데 마음에 담아두었던 말이 있다.

"낯선 길을 가고자 할 때 큰 길을 찾아라.
큰 길로 갔는데 길을 잃었다면, 그 길로 돌아와라.
그 길로 돌아왔는데도 길을 모르겠다면 다른 사람이 올 때까지 기다려라."

나의 10대, 20대, 30대, 40대를 돌이켜본다.
10대에는 뭣 모르는 학생이었고, 20대에는 신나게 놀았고, 30대에는 엄마가 되었고, 40대인 지금은..
남들도 나와 같을까? 아직도 나는 내가 걸어야 하는 길이 낯설고 어렵게만 느껴진다.
다가올 50대, 60대, 70대.. 어쩌면 80대에도 길을 잃지 않고 지금과 같은 속도로 한 걸음 한 걸음 나아갈 수 있기를!
큰 길에서 마주할, 나의 소중한 인생을 함께할 가족이 있음에 감사하는 하루하루가 되기를!

한 발짝 다가설 수 있는 용기

시간이 지날수록, 나이가 들어갈수록 '관계'에 대한 생각이 많아진다.

이 나이 먹고 '친구' 만들기가 쉽지 않기 때문일지도 모르겠다.

아무것도 생각하지 않고 아무 말도 필요 없는 사이가 될 수 있는 조건(?)을 잃어버린 느낌.

애쓰지 않고도, 노력하지 않고도, 있는 그대로의 '나'를 사랑하는 사람을 만나는 일이 이렇게 힘들 줄이야.

어른이 된다는 건, 여러모로 힘든 일인 것 같다.

마음이 있어도 손 내밀지 못하면 무슨 소용일까 싶으면서도 섭사리 용기를 내지 못하는 나 자신을 발견하게 되는 일은 참 외롭다.

나는 '관계'를 위해 한 발짝 다가설 수 있는 용기를 길러야 하는 '어른'이 되고 말았다.

무엇이든 해내는 사람

아프고 상처받는 것이 두려워질수록 누구나 피하려고 하지만, 피하려고 할수록 하나의 기쁜 일과 하나의 슬픈 일에 일희일비하게 되고, 슬픈 것들을 더 크게 받아들이게 됩니다. 기쁜 게 하나 있으면, 슬픈 것도 하나 있습니다. 그런 의미에서 나쁜 일이 생기더라도 비관하지 않는 태도가 중요합니다. 그 아무리 나쁜 일이더라도 내 인생에 어떤 식으로 녹아드는지는 이를 받아들이는 태도에 달려 있기 때문입니다.

– 「당신은 결국 무엇이든 해내는 사람」 p.195

저는 예기치 않은 불안과 고통이 찾아오면 이런 생각을 하곤합니다. '어, 왔구나! 반가워. 내가 또 한 번 성장할 기회를주는구나!'

– 「당신은 결국 무엇이든 해내는 사람」 p.57

그래..
결국 나는 지금의 이 꿀꿀함을 이겨내고 무엇이든 해내는 사람이 되고 말 테닷!!

타인의 이야기

꽃마리쌤

꽃마리쌤

×

책을 읽고 당연하게 생각하는 많은 것들에
물음표를 던져보았다.

타인의 이야기

「여자로 살아가는 우리들에게」 읽고

이 책은 가수이자 제주에서 책방을 하는 요조와 소설가인 임경선의 교환일기를 책으로 엮은 것이다.

> '타인의 알콩달콩한 우정을 굳이 엿봐서 뭐하겠는가' 라는 생각이 들지도 모르겠다. 그러나 우리에게는 확실히 타인의 이야기가 필요하다.
> 우리는 그 이야기를 보며 우리가 모는 배의 키를 조절한다. 저렇게 살아야지, 혹은 저렇게 살지 말아야지, 하면서 말이다. — 본문 중에서

작가의 말처럼 타인의 이야기를 들어서 뭐 하겠나 싶었다. 글을 읽으며 느낀 것은, 이런 생각을 하고 사는구나 싶다가, 타인의 이야기가 내 이야기가 되기도 했다. 그녀들이 나누는 일기장 속으로 들어가 본다.

40대 가정이 있는 임경선이 쓴 글을 읽다 보면, 내가 하지 못하는 말들까지 시원하게 해주니 속이 시원하기도 했고, 나 또한 워킹맘이라 공감 가는 이야기가 많았다.

내가 남편의 부속물도 아니고, 남편이 내 상전도 아니잖아? 부부는 '협의'를 하는 거지, '허락'을 맡아야 하는 관계가 아니잖아... 기혼여성 스스로에게도 엄마나 아내라는 '역할' 연기에서 벗어나게 하는 혼자만의 공간과 시간은 정기적으로 필요하다고 본다. 아니면 나라는 사람이 유독 그걸 더 필요로 하는 걸까? 기혼여성이 혼자 여행 가는 일을 '자유'라는 단어로 뭉뚱그려서 혹은 퉁쳐서 표현하고 싶지는 않아.

– 본문 중에서

나조차도 당연하게 생각했던 부분을 각성하게 되기도 하고, 당연하게 생각하는 많은 것들에 물음표를 던져볼 생각이다. '당연한 거야'는 당연한 게 아니다.

올해 초, 남편과 나는 제사를 이제 더이상 지내지 않기로 했어. (……) 체면이나 효심 등 다른 명분보다 우선 자신에게 가장 소중한 사람이 고통스럽지 않아야 한다고 생각했대. 너무나 당연하고 단순한 말인데도 나는 울컥했어. 한국 여자들을 짓눌러온 여러 가지 부조리한 일들이 다 사라졌으면 좋겠어.

– 본문 중에서

이 부분에서 많은 분들이 울컥하거나, 멋진 남편이라고 부러워했을법하다. '소중한 사람이 고통스럽지 않아야 한다'는 말은 당연하고 단순한 말이지만, 그럼에도 '제사는 지내야지'라고 말하는 사람이 더 많을 것 같아 씁쓸하다.

> 40대에 여태까지 아무리 노력해도 치유하지 못한 내 안의 상처를 그냥 받아들여야 하는 시점이기도 해. (……) 고민한다는 것은 생각한다는 뜻이니까. 고민을 하니까 우리는 스스로를 찾고, 조금 더 나은 사람이 되어가는 거야.
>
> – 본문 중에서

내 안에 상처를 받아들인 나이가 몇이었지? 생각해 보면 서른 후반쯤이었던 것 같다. 나를 이해하고 나라는 존재가 누구인가를 끊임없이 고민했던 그때 진짜 공부가 시작된다. 책을 보고 내 안의 나를 찾고, 잘 지내는지 살아는 있는지... 수없이 묻고 질문했다. 생각을 통해 오늘 조금은 더 나은 사람이 되어간다.

임경선이 하는 말은 내가 알고 있는 언니와 많이 닮아있다. 솔직함, 보기만 해도 속이 시원하고 계속 웃게 된다. 앗쌀함, 솔직함, 인간미, 쓴소리할 줄 아는 카리스마. 어쩜 이리도 닮았나 싶을 만큼 옆에서 언니가 이야기하는 듯 책을 읽었다.
생각이 많고, 조심스럽고, 예민한 내가 이 언니를 만나면 같이 솔직해지고, 잠시 앗쌀한 성격이 되는 것 같아서 기분이 좋아진다.
전혀 어울릴 것 같지 않은 두 사람이 어떻게 자석처럼 끌렸을까?

나에게는 없는 것이 타인에게 있어서일 수도 있고, 어떤 '지점'에서는 닮아 있기 때문이 아닐까 생각해 본다.

책을 읽고 생각하기

1. 무언가를 하고 싶다는 것보다 무언가를 하지 않기로 하는 것이 더 중요하다. 하고 싶지 않은 것 리스트 작성해 볼까?

   - 밥 안하기
   - 에너지 뱀파이어(기를 빼앗아가는 사람) 만나지 않기
   - 신세 한탄하며 자기 얘기만 하는 사람 피하기

   하고 싶은 않은 것들을 적어보고 사소하게라도 조금씩 테두리를 정리하다 보면 나만의 기준이 서고, 나 자신에 대해 많은 것을 깨닫게 된다.

2. 우리가 있을 때 잘하지 못하는 이유는 그것이 당연히 있을 거라고 간과하기 때문이겠지. 당연히 그 자리에 계속 있을 거라고 보는 거야. 서로에게 낯설어질 필요가 있다는 생각. 서로에게 당연함에서 낯설어지게 하는 방법을 생각해 볼까?

   - 주말 아침 혼자 자전거 타고 달려보기
   - 평일 휴가를 내고 전시회 가기
   - 혼자만의 여행 떠나기

- 새로운 곳 운전해서 가보기

집에서도 회사에서도 다람쥐 쳇바퀴 돌리는 일을 누군가는 힘
들어한다지만, 나는 아주 익숙한 것을 좋아하는 사람이라 다
람쥐 쳇바퀴가 아주 편안하다. 그런 당연한 것에서 가끔은 낯
설어져 봐야 한다는 생각을 해봤다. 타인에게도 그리고 공간
이라는 것에도 말이다.

3. 교환일기를 나누고 싶은 사람이 있다면?

내 이야기를 모두 털어놓고 이야기하고 서로 이야기를 들어
줄 수 있는 사람이 있다고 해도 교환일기까지 쓸 자신은 없다.
하지만 딱 한사람 모든 것을 털어놓아도 부끄럽지 않은 나와
의 대화를 해볼 생각이다.

목소리를 내기 위하여

『말하기를 말하기』 읽고

저자는 어느 날 중학교 선생님의 한마디 "너는 말 잘하는 사람이 될 거야" 선생님이 툭 건넨 말 한마디가 씨앗이 되어 말하기 책을 쓰는 사람까지 되었다. 말의 힘이 이토록 크다는 것을 또 한 번 느낀다. 작가는 주변에서 목소리가 좋다는 이야기와 성우가 되면 어떻겠냐는 말을 들으면서, 자신 안에 있는 것을 꺼내기로 마음먹는다. 어쩌면 우리도 자신이 알지 못하는 모습들이 있을지 모르니 자신을 탐구해 보고, 주변에서 잘한다고 얘기해 주는 점들은 귀담아들어볼 일이다.

> 뭐든 해보는 게 안 하는 것보다 나았다. 새로운 사람을 만나면 '이 사람의 세계는 어떤 걸까' 하는 호기심을 갖게 되었고, 그 사람이 나와 다르면 다를수록 '저럴 수도 있구나' 하며 경계가 부서지고 내 세계가 넓어지는 느낌이 들었다.
>
> – 본문 중에서

나는 모임이나 낯선 사람들 틈에 서면 위축되고 벽 사이드로 빠지는 사람이다. 이제는 두 아이의 엄마가 되고 두꺼운 가면을 쓰고부터는 먼저 말을 거는 일도, 수줍음은 잠시뿐 몇 시간을 떠들

수도 있는 사람이다. 하지만 여전히 낯선 사람을 만나면 위축이되고 먼저 말 걸기는 쉽지만은 않다. 작가가 말하는 '뭐든 해보는 게 안 하는 것보다 나았다' 함부로 사람의 단면을 보지 말고한걸음 앞으로 나아가 마음을 열고 웃는 얼굴로 먼저 인사부터건네는 연습을 해야겠다.

> "강연의 말하기에서 제일 중요한 건 긴장하지 않는 편안한 마음가짐인 것 같다. 물론 강연 준비를 철저히 하는 것은 기본이다. 잘 준비해놓고 긴장해서 강연을 망치지 않기 위해 1. 못해도 괜찮다 2. 안 들으면 니 손해(학 마!) 3. 다 좆밥이다 4. 유명인도 아무 말을 한다 등등을 새기며 긴장을 풀어보자."
>
> – 본문 중에서

이 부분을 읽고 한참을 웃었다. 이 말을 읽다 보면 긴장으로 달아오른 심장이 확 차가워질 것 같다. 학 마!

> 대화가 잘 통하는 사이는 참 소중하지만 그보다 더 좋은 것은 침묵을 나눌 수 있는 사이이다. 짧게나마 완벽한 침묵의 대화를 나눈 사람들은 은빛 실핏줄로 이어져 있다.
>
> – 본문 중에서

우리들의 대화에는 다양한 형태의 대화들이 존재한다. 누군가의위로에는 말보다 따뜻한 포옹, 잠시 기댈 어깨를 빌려주거나, 같이 눈물 흘려주는 것이 위로가 될 때가 있다. 그 위로는 작가의말처럼 은빛 실핏줄로 이어져 심장에 새겨진다.

원하는 바를 정확히 말하는 연습만 하더라도 커뮤니케이션의 질은 훨씬 나아진다.(특히 한국사람들에게 필요하다) 상대를 원망하거나 미워하는 마음이 쌓여갈 때, 그게 많이 쌓여서 덩치가 커지기 전에 상대에게 직접 말하는 연습을 했다. 대신 감정을 실지 않고 예의를 갖춰서 말하려고 노력했다.

- 본문 중에서

기분이 나쁘거나, 화가 날 때의 나는 참고 또 참는다. '나만 참으면 된다'가 싸우는 것보다 편하고 좋았다. 내 성격마저 재단하며 살아왔고, 그렇게 나는 사라져갔다. 하지만, 이제는 말하는 연습을 통해 나를 찾아가고 있다. 작가가 말하는 '예의 바르게'가 포인트다. 감정이라는 거품을 싹 거두어 내고, 담백하게 예의를 갖추어 내 감정을 전달해 보는 건 어떨까? 나만 참아서 될 일은 하나도 없다. 잠시 회피하는 방식일 뿐이다. '예의를 갖춰서 정확히' 말을 꺼내볼 참이다.

작가가 말해준 것처럼 '나는 말하는 사람이 될 것 같습니다.' 상대 말을 귀담아듣고, 장점을 찾아내서 구체적으로 칭찬을 하고, 편안하게 집중할 수 있는 조건이 만들어지면 이야기꽃은 피어나는 하는 김하나 작가. 나도 책을 통해 만났지만, 직접 만나보고 싶다는 생각을 드는 것을 보면 그녀만의 매력이 넘치는 것을 느낀다. 만나면 나도 특별한 사람이 될 것 같고, 또 계속 대화하고 싶어질 것 같다. 나한테 말해주고 싶다. '기억해, 너는 말하는 사람이야'

가치 있는 삶을 위한 지혜

『스스로 행복하라』 읽고

책의 도비라에는 장욱진 그림이 어우러져 있다. 모든 것을 내려놓고 자연과 하나가 된 화가의 정신과 법정 스님과 닮아 있다. 책을 읽는 데 시간이 걸리긴 했지만, 큰 어른의 말씀을 듣는 듯 마음에 평안이 남는다.

> 사람은 자기 몫의 삶을 살 줄 알아야 합니다
> 사람은 자기 몫의 삶에 감사하며 살 줄 알아야 합니다
> 우리가 사람일 수 있는 것은 자기 나름의 빛깔과 모습과 향기를 지니고 있기 때문이며, 그런 모습으로 전 사회적인 조화를 이룰 수 있어야 합니다.   − 본문 중에서

자기 나름의 빛깔에 대하여

책방에서 김목인 작가님을 만났다. 싱어송라이터로 활동도 하고 두 번째 책을 출판하셨다. 작가님의 인상 깊었던 말 중에 작가는 음악 하는 사람처럼 생기지 않았다는 말을 많이 들었다고 했다.(바른 청년처럼 착하게 생긴 작가님) 처음에는 신경이 쓰였지만, 자신만의 컬러로 말하듯이 노래하고, 말하듯 글을 쓴다고 했

다. 그 모습이 편안하게 느껴졌고 듣는 사람들도 편안했다.

나는 얼마나 나답게 살고 있는가? 질문을 던져본다. 마흔이라는 나이를 넘기고 내 속의 말을 토해낸 지 얼마 되지 않는다. 부족한 것은 부족한 대로 잘하는 건 잘하는 대로, 그리고 내가 얼마나 사랑스러운지 매일매일 이야기해 준다. 지금도 나는 나 다운 모습을 찾아가는 삶의 여정에 서 있다.

> 조금 내려놓으면 조금 평화로워질 것이다. 많이 내려놓으면
> 많이 평화로워질 것이다. 완전히 내려놓으면 완전한 평화와
> 자유를 알게 될 것이다. 그때 세상과의 싸움은 끝난 것이다.
>
> – 고승 아잔 차 스님의 말

내려놓는 것에 대하여

책을 읽으며 계속 내려놓으라는 말에... 나는 왜 화가 날까?

오래전부터 나는 내려놓으며 살았노라 착각했다. 욕심 없이 살았던 것도, 착하게 산 것도, 명상으로 나를 잘 다스린다는 것도 모두 내려놓은 거라 생각했다. 할 만큼 했는데, 나는 왜 이 모양이 꼴일까? 그리고 그 안에서 거세되어온 나는 어디 있는 걸까? 나의 내려놓음에는 포기하고 참는 것이었다면, 앞으로의 내려놓음은 나를 사랑하는 그 안에서 완전한 평화와 자유를 누리는 연습을 할 생각이다.

> 우리가 지키고 가꾸어야 할 일은 자연을 자연대로 지키면서
> 우리 안에서 그 아름다움과 신비를 캐내는 일이 아닐는지요.

자연의 소리에 귀를 기울이는 일은 곧 자기 내면의 통로로
이어진다는 사실에 주목해야 한다   – 본문 중에서

자연의 소리에 대하여

우울증이 심할 때의 일이다. 회사에서 점심 도시락을 먹고 뒤에
있는 산을 혼자서 오르내렸다. 산 정상에 앉아 눈을 감고 명상하
는 것이 내가 할 수 있는 유일한 것이었다. 산은 나의 모든 것을
품어주었다. 하루는 딱따구리가, 어떤 날은 시원한 바람이, 또
어떤 날은 반짝이는 햇살이 위로가 되어 주었다.

자연이 하는 소리를 귀담아듣다 보면 내면의 목소리가 들려온
다. 신의 다른 이름인 '나'라는 존재가 위대해진다.

단순해서 아름다운 것들

「모래알만 한 진실이라도」 읽고

'소박하고, 진실하고, 단순해서 아름다운 것들'을 사랑한 작가. 많은 사람들이 그리워하는 사람. 박.완.서.
여자로 엄마로서의 차마 말 못 하는 것들을 보게 하고 느끼게 해 준다. '괜찮아. 나도 그랬어" 하고 어깨를 토닥여 주는 듯 위로하는 것만 같다.

엄마한테 귀가 따갑게 들은, 남의 좋은 점을 찾아내면 네 속이 편하고 네 얼굴도 예뻐질 거라는 엄마의 잔소리는 철들고 어른 되어, 엄마한테 그런 소리를 안 듣게 된 후에 오히려 더 자주 생각나고, 어떡하든지 지키고 싶은 생활신조 같은 것이 되었습니다.   – 본문 중에서

나도 아이들에게 귀가 따갑게 잔소리를 더 해야겠구나 싶었진다. 언젠가 말의 씨앗이 자라고 자라서 꽃을 피워올릴 수 있으니 말이다. 내가 자주 하는 말의 씨앗에는 '오늘도 감사해!'라는 말이다. 힘들 때 꽃을 피워 올릴 감사라는 말의 힘을 나는 알고 있다.

'시간이 나를 치유해 준 것이다. 이 나이까지 살아오면서 깨달은 소중한 체험이 있다면 그건 시간이 해결 못할 악운도 재앙도 없다는 것이다. 그렇다면 신의 다른 이름이 아닐까.'

– 본문 중에서

'시간이 지나면 다 괜찮아. 시간이 약이야.'라고 하면, '시간이 약이라는데 도대체 몇 알을 먹어야 되는 거야?'하고 반박하고 싶어진다.

아버지가 돌아가실 때도 '시간이 약이야', 연인과 이별을 했을 때도 '시간이 약이야', 두 아이를 키우며 워킹맘으로 회사도 육아도 어느 것 하나 해내지 못하고 있다는 죄책감이 밀려와 울고 있을 때도 '시간이 약이야.'
그 당시에 '시간이 약이야'라는 말은 야속하게만 들렸다. 하지만 시간이 한참 지나고 나서보니 '시간이 약이었구나'를 조금은 깨닫게 된다.

마흔이라는 나이를 넘어 아이들이 자라고 자라고 자라서 더 많은 시간이 지나면 지금의 아픔도 다 지나가 있으려나... 상처 난 마음이 굳어지고 단단해지면 아픈 상처에서도 꽃이 핀다는 말이 있듯이 지금은 커 보이는 상처도 시간이 지나면 작아지고 여물어지면 예쁜 꽃을 피울 거라고 속삭여 본다.

선생이 노년을 보낸 노란 집 앞마당에 백 가지 꽃이 피어 있던 것처럼 꽃과 나무와 풀에 대한 선생의 사랑은 지극했음을 알 수 있다. 작은 들꽃과 미물들의 아름다움에 대한 선생은 자연의 품에서 위안과 평화를 얻고, 자연의 순리대로 다시 제자리로 돌아가고자 했다. 꽃이 떨어진 곳에 열매가 맺고, 씨앗이 떨어져 다시 꽃을 피우듯이 자연스럽게 나의 마지막도 해피엔드였으면 좋겠다. 내 마음이 쉬고 싶은 그 어느 곳 앞마당에 흐드러지게 피고 지는 꽃들과 그렇게 평화롭게 소멸하면 좋겠다고 생각했다.

책을 읽고 생각하기

『모래알만 한 진실이라도』를 읽고 자신의 경험과 일치하는 에세이가 있다면 그때 어떤 생각을 했는지, 어떤 깨달음을 얻었는지 글로 적어보세요.

나는 꽃을 좋아한다. 생일이면 아이들에게 화려한 장미꽃 말고 들에서 꺾어온 것 같은 수수한 꽃다발로 부탁하곤 한다. 큰 아이가 어릴 적 풍성한 '수국'을 하나 들고 엄마 주겠다고 손에서 놓지 않고 시들어질 때쯤 퇴근한 나에게 꽃을 주었다. '엄마 주려고 종일 들고 다녔어'하고 건넨 그 꽃을 기억한다.

작은 아이는 하교하고 돌아오는 길에 왕벚꽃 나무 아래서 떨어진 꽃을 상자 안에 고이 주워 담아 왔다. 그날의 달큰함이 전해진다. 신비한 소망의 닮은 달큰한 소망의 냄새.

내가... 집이... 아이들에게 세상에서 가장 편하고 마음 놓이는 곳이기를 바랄 뿐이다.

〈책만들기파워업 23기〉

함께 할 수 있어서 감사합니다

신수연

서수영

아영

미미

민트초코

꽃마리쌤